San Jose Unified School District
Instructional Materials Center
1671 Park Avenue
San Jose, CA 95126

DESEGREGATION

San Jose Unified School District
BILINGUAL OFFICE

AUSTRAL JUVENIL

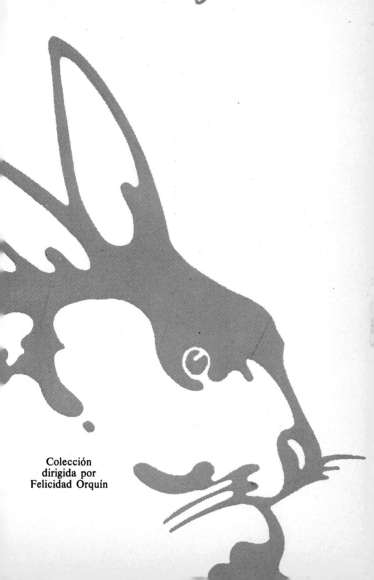

Colección
dirigida por
Felicidad Orquín

Título original:
Wenn du dich gruseln willst

Diseño colección:
Miguel Ángel Pacheco

ANGELA SOMMER-BODENBURG
SI QUIERES PASAR MIEDO

TRADUCCION DE LUIS PASTOR
ILUSTRACIONES DE HELGA SPIESS

ESPASA-CALPE, S.A. MADRID

Segunda edición

Primera edición: enero, 1987
Segunda edición: diciembre, 1988

© Otto Maier Verlag, Ravensburg, 1984
© Ed. cast.: Espasa-Calpe, S. A., Madrid, 1987
Depósito legal: M. 40.014—1988
ISBN 84—239—2768—7

Impreso en España
Printed in Spain

Talleres gráficos de la Editorial Espasa-Calpe, S. A.
Carretera de Irún, km. 12,200. 28049 Madrid

Angela Sommer-Bodenburg, la autora, nació en Alemania, en un pueblecito cerca de Hamburgo.
Estudió Sociología y Pedagogía, y durante doce años trabajó como profesora de Educación General Básica en la ciudad de Hamburgo, simultaneando la la docencia con la tarea de escribir.
Le fascinan los personajes fantásticos de los cuentos góticos (vampiros, aparecidos,...) que ella incorpora a sus narraciones ambientadas en nuestros días.
El prestigio alcanzado como escritora le permitió abandonar, en 1984, la enseñanza para dedicarse solamente a escribir.

Helga Spiess, la ilustradora, nació en Alemania y estudió Bellas Artes en Bremen, donde se casó y nacieron sus tres hijas.
Después se graduó en Diseño y Artes Aplicadas en la Universidad de Offenbach.
En 1984 publicó sus dos primeros libros ilustrados a los que han seguido otros muchos.

Bárbara

LORIÁN estaba enfermo desde hacía ya dos semanas. Tenía una inflamación en una pierna que no terminaba de sanar y hubo de guardar cama. La herida picaba y escocía, y cuando su madre le cambiaba la venda le hacía un daño horrible. Pero mucho peor que los dolores era el aburrimiento. Sobre todo se aburría por las mañanas, cuando sus padres estaban trabajando. A menudo se quedaba así, tumbado, y contaba las motas negras de la alfombra. O se inventaba historias de un muchacho y un perro que vivían aventuras apasionantes.

Su madre llegaba a casa, a mediodía, demasiado cansada para ocuparse de él.

Así ocurría hoy también.

Después de comer, Florián preguntó a su madre:

—¿Juegas conmigo?

Ella sacudió la cabeza.

Florián frunció el ceño y dijo:

—Estar malo es espantoso.

—Pues yo me quedaría bien a gusto una semana en la cama dejándome mimar.

«¿Mimar?» Florián se hubiese echado a reír.

—Estoy solo toda la mañana y cuando por fin llegas no tienes tiempo. Ya podrías preocuparte de mí un poco más.

—He tenido un día agotador —dijo la madre.

Florián se mordío el labio y añadió:

—A pesar de todo.

—¿Qué te parece si voy luego a sentarme en tu cama y te cuento una historia?

—¿Sólo una historia?

—Una historia de miedo.

—¿Sabes tú una historia de miedo? —preguntó Florián sorprendido.

—Y la he vivido yo misma, además.

—¡Oh!, sí, cuenta.

—Después, cuando lea el periódico y haga el café.

—¿De verdad has vivido una historia de miedo? —preguntó Florián con los ojos brillantes cuando, al cabo, la madre se sentó junto a su cama.

—Sí.

—¿Ya había nacido yo?

—Fue hace dos años, cuando estábamos buscando casa. Antes de encontrar ésta, tuvimos otra oferta, un piso de cuatro habitaciones en una vieja villa con un jardín grande y silvestre.

—Y ¿por qué no lo cogisteis?

—Es lo que te voy a contar:

«Papá vio el anuncio en el periódico. El alquiler era muy barato, así que nos pusimos de acuerdo con los que habían vivido antes para ir a ver la casa.

La villa tenía el aspecto de un castillo pequeño, hasta con su torrecita. Yo estaba entusiasmada. Ya sabes cómo me chiflan las casas antiguas. También me gustó el jardín, con árboles altos y corpulentos. Llena de curiosidad, subí al primer piso y toqué el timbre.

Pasó un rato. Luego oí pasos.

Me abrió una niña. Tenía el pelo negro y rizado, largo hasta la cintura.

Llevaba un vestido blanco de encajes
hasta los tobillos. La cara muy pálida.

—¿Quiere ver la casa? —preguntó.

—Sí —dije—. ¿Están tus padres?

—Vienen en seguida —contestó—.

Pero yo puedo enseñársela. Pase, por favor.

Entré.

La niña, interrogándome con la mirada, dijo:

—¿Tienen niños?

—Sí, un chico.

—¿Cómo se llama?

—Florián.

Entonces, la niña, por primera vez, sonrió.

—Me llamo Bárbara —dijo—. Venga, le voy a enseñar el cuarto de los niños.

—Pero quisiera ver primero las otras habitaciones —contesté yo.

—No, no —dijo Bárbara con brusquedad—. Tiene que ver primero el cuarto de los niños.

Lo dijo con tanta urgencia que la seguí.

Me condujo a una habitación grande y vacía al final del pasillo. Por la

moqueta de colores se advertía que había sido un cuarto para niños.

Bárbara corrió a la ventana.

—Aquí estaba mi mesa —dijo—. Siempre veía el castaño cuando me sentaba aquí. Su niño tiene que sentarse también a la ventana, ¿me lo promete?

—No sé —contesté dudando, e intenté sonreír.

—¡Por favor! —exclamó, y me miró con ojos suplicantes.

—Bueno, si tanto lo quieres —dije para dejarla contenta.

Pensaba para mí que era cosa nuestra el cómo distribuir las habitaciones.

—Ahí estaba mi cama —dijo, señalando la pared junto a la ventana—. Cuando me despertaba veía el cielo. Así sabía siempre si hacía buen tiempo o malo.

—Pero ese no es buen sitio para la cama —comenté yo.

Bárbara me miró sorprendida y añadió:

—¿Por qué no?

—En la ventana hay corriente a menudo. Podías haberte acatarrado.

—¿Acatarrarme? —gritó—. ¡Quiere usted decir que mi madre ha cuidado mal de mí?

—No, naturalmente —me apresuré a asegurar.

—Pero ha dicho que era un sitio malo para la cama.

—Era por decir algo.

—No vuelva a decir jamás algo tan horrible de mi madre.

El tono de su voz se volvió agudo de repente.

—No he dicho absolutamente nada de tu madre —respondí. Y entonces oí pasos en el pasillo.

—Deben ser tus papás —dije aliviada, y salí rápidamente de la habitación.

Era ridículo, pero aquella niña pequeña me daba miedo. Una mujer y un hombre vinieron a mi encuentro por el pasillo. Al verlos, me asusté, porque los dos iban vestidos completamente de negro. El hombre tenía el mismo pelo negro que Bárbara, y la mujer, sus mismos ojos grandes.

—¿Ya está usted aquí? —preguntó extrañada la mujer.

—Es raro que estuviese la puerta abierta —dijo el hombre.

Iba a explicarles que su hija me había abierto, pero antes de que pudiese hacerlo estábamos ya en una de las habitaciones anteriores. Comenzaron a enseñarme la casa, primero los dos cuartos de estar, luego el dormitorio y el baño. Nos detuvimos en la cocina, que tenía unos azulejos antiguos preciosos. El hombre se volvió hacia mí, con una cara tan pálida como la de Bárbara y me preguntó:

—¿Le gusta la casa?

—Sí —contesté yo entusiasmada—.

Es de un estilo un poco antiguo, justo como yo deseaba. Además es muy amplia.

—Hay otra habitación —dijo el hombre— al final del pasillo. Pero ya no entramos en ella.

—Era el cuarto de los niños —agregó en voz baja la mujer.

—Lo sé —dije yo, sorprendida por el misterio con que hablaban de aquella habitación vacía.

—¿Usted? —titubeó la mujer—. ¿Ha visto usted la habitación?

—Sí, me la ha enseñado su hija.

La mujer clavó en mí sus ojos:

—¿Nuestra hija?

—Sí —afirmé—; quería que el cuarto se dispusiese del mismo modo que cuando estaba ella.

—¿Cómo era esa niña? —gritó el hombre con voz ronca.

Me extrañó la pregunta.

—Tenía una melena negra larga y llevaba un vestido blanco con encajes.

—¡Bárbara! —exclamó la mujer con tanto dolor que me sobrecogí de miedo.

Entonces se precipitaron los dos fuera de la cocina y les oí correr por el pasillo gritando el nombre de Bárbara.

Sentí una desazón muy molesta. No comprendía su excitación, pero advertí que mi encuentro con Bárbara debía haberles alarmado.

Les seguí lentamente.

Se quedaron parados en la puerta de la habitación de los niños.

—No está aquí —dijo el hombre con palabras ahogadas.

—Pero yo la he visto —insistí—. Es-

taba ahí, en la ventana, y habló de su castaño.

La mujer sacudió la cabeza con gesto triste.

—Tiene que haberse equivocado.

—No, con toda seguridad.

—Es imposible.

—Pero, ¿por qué?

—Bárbara está muerta —dijo el hombre.

—¿Muerta? —repetí incrédula.

—Murió hace cuatro semanas —explicó el hombre—, aquí, en esta habitación, de una pulmonía.

—¡No! —grité.

Los dos me miraron y dijeron que sí con la cabeza.

Entonces di media vuelta y me marché de allí a toda prisa.»

La madre de Florián hizo una pausa. Luego añadió:

—Una semana después encontramos esta casa y nos alegró que al llamar a la puerta no nos abriese un fantasma.

—¿Tenía Bárbara el aspecto de un fantasma? —quiso saber Florián.

—Estaba muy pálida y parecía muy débil, como alguien que lleva enfermo mucho tiempo.

—¿Por qué no me llevaste contigo?

—Tú estabas en la escuela. Bueno, y ahora me tengo que ir —se levantó—. Me quedan un montón de cosas que hacer.

Florián torció la boca, pero no dijo nada.

Oyó a su madre entrar en la cocina. Y, en seguida, le llegó el cla-cla-cla de los platos en el fregadero.

—¡Mamá! —voceó.

—¿Qué ocurre?

—¿Se murió Bárbara por dormir tan pegada a la ventana?

—No lo sé.

—¿Es verdad que su madre no la había cuidado bien?

—No lo sé.

Florián aspiró hondo y gritó:

—Yo también podría coger una pulmonía si tú no te preocupas más de mí.

La madre no contestó.

Florián cerró los ojos y suspiró.

Harry

N poco después llegó el padre a casa.

—Papá, ¿sabes alguna historia de miedo? —le preguntó Florián.

—¿Qué es lo que dices que si sé? —La voz del padre no mostraba un tono de entusiasmo precisamente.

—Una historia de miedo —repitió Florián—. ¿No te ha ocurrido nunca ninguna?

—Me pasa una cada día —contestó el padre—. Es la historia de un hombre que llega molido a casa y le obligan a contar historias.

—¡Eres malo! Piensas que me divierte estar todo el día aquí en la cama.

—No, eso no lo pienso. —El padre examinó la pierna de Florián—. ¿Va mejorando?

—Sí —dijo Florián—. Pero el aburrimiento va cada vez peor.

—Quizá después de cenar te cuente una historia.

—¿Una historia de miedo?

—Si quieres pasar miedo..., bueno, entonces te gustará la historia de Harry.

Terminada la cena, el padre de Florián se sentó en la cama y empezó:

«En aquella época estaba yo en primero de B.U.P. Era tan malo en matemáticas que no me iban a dejar pasar a segundo. Un día llegó un alumno nuevo a nuestro curso. Se llamaba Harry Ackermann. Era completamente distinto a nosotros y nadie le quería.

—¿Cómo distinto? —preguntó Florián.

—A Harry no parecía importarle nada su aspecto exterior. Llevaba siempre la misma camisa negra y el mismo pantalón negro. Los pelos le colgaban hasta los hombros y tenía pinta de no habérselos lavado nunca. Y el color de su cara era de una palidez enfermiza. Además, olía de un modo tan raro que nadie quería sentarse a su lado... Bueno, menos cuando teníamos un examen de matemáticas. Porque, en matemáticas, Harry era el primero. Hacía unas preguntas que hasta ponían en apuros al profesor.

Pronto se dio cuenta, naturalmente,

de que yo no tenía ni idea de matemáticas. Por eso se ofreció varias veces a darme clases particulares. Y sin que yo le pagase nada a cambio. Yo me negaba siempre, por una repugnancia interior que no me podía explicar. Pero al acercarse el siguiente examen me dejé convencer para hacer los problemas juntos.

—No te arrepentirás —dijo Harry con voz áspera.

—¿Dónde nos reunimos? —pregunté—. ¿En tu casa?

—No —respondió precipitadamente—. En mi casa no puede ser. ¿Qué tal en la tuya? ¿Tienes un cuarto para ti?

Dije que sí con la cabeza.

—¿Y estás algún rato solo en casa?

—Sí. Mi madre va por las tardes a limpiar. Pero, ¿por qué quieres que estemos solos?

—¿Por qué? —lanzó una risa ronca—. Para que nadie nos distraiga.

Me pareció una razón convincente... A pesar de que no me seducía mucho la idea de estar en casa con Harry a solas.

Dije que Harry era un compañero de clase, un muchacho de mi edad, y quedé con él para la tarde.

A las cuatro se marchó mi madre y en seguida sonó el timbre. Era Harry, con media hora de adelanto. Supuse que había estado espiando en la escalera la salida de mi madre, pero no dije nada.

Fuimos a mi habitación. Me pareció que el desagradable olor que despedía Harry era entonces más fuerte. Sentí de pronto que no podía respirar y abrí la ventana de par en par.

Harry me observaba.

—¿Te ocurre algo? —preguntó.

—No, no —respondí deprisa y me senté.

Abrimos nuestros libros y cuadernos y Harry comenzó a explicarme los problemas. Después de una hora de trabajo, Harry dijo que ya era bastante por hoy. Y tenía razón: yo estaba tan agotado que me quedé dormido encima de los cuadernos.

Cuando abrí los ojos Harry había desaparecido. Miré el reloj. Eran algo más de las seis. En seguida oí a mi madre volver del trabajo.

A la mañana siguiente en la escuela me sentía cansado aún, pero fui capaz de resolver correctamente en el encerado los problemas que me había explicado Harry.

Por la tarde volvimos a reunirnos para estudiar. Nos sentábamos el uno junto al otro en la mesa grande de mi cuarto. El segundo día apenas advertí el olor extraño de Harry, y también me había acostumbrado ya a su voz baja y adormecedora.

Harry era un profesor particular

fantástico. Por primera vez tuve la impresión de que las matemáticas no iban a ser siempre para mí un libro cerrado con siete sellos.

Avanzamos mucho más deprisa que el día anterior, pero al terminar me dormí otra vez. Cuando desperté fijé los ojos en el cuaderno de cálculo. Debajo del último problema había dos pequeñas manchas de sangre. Me busqué en las manos, pero no encontré ninguna herida.

Al día siguiente tuvimos el examen y yo conseguí resolver más de la mitad de los ejercicios. Saqué un seis. El primero desde hacía muchos meses.

Harry me felicitó, pero, a la vez, insistió en que no debíamos dejar de ningún modo las clases de repaso, que si no olvidaría todo.

Así que seguimos reuniéndonos todas las tardes en mi cuarto. Al terminar los deberes yo me dormía siempre. Me resultaba desagradable, pero a Harry no parecía importarle nada, porque jamás me habló de ello.

En cálculo iba cada día mejor. El profesor de matemáticas, que casi me había dejado por imposible, pensó que

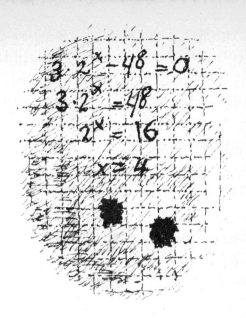

$$3 \cdot 2^x - 48 = 0$$
$$3 \cdot 2^x = 48$$
$$2^x = 16$$
$$x = 4$$

era un milagro. No podía saber que Harry me daba clases particulares. Tampoco tenían ni idea los demás compañeros de clase, porque no se lo contaba a nadie. Ni siquiera mi madre sabía que tenía visita todas las tardes. Sólo advirtió que de repente sacaba buenas notas en matemáticas... y que siempre estaba cansado.

Pronto empecé a dormirme también durante la cena. Se me caía la cabeza hacia adelante, sin remedio, y mi madre me despertaba sacudiéndome en el hombro, y me preguntaba si es que me sentía enfermo. Al final, se empeñó en llevarme al médico. El doctor me diagnosticó una anemia aguda y me recetó unas pastillas. Tres cápsulas tenía que tragarme cada día.

A pesar de todo, seguía siempre cansado. Tan mal me encontraba que tuve que quedarme una semana entera en la cama. Esos días Harry no vino. Quizá se imaginó que mi madre no iría a trabajar para quedarse conmigo en casa.

Mejoré tanto en esa semana que hasta el médico se sorprendió.

Cuando ya pude volver al colegio me enteré de que Harry también había faltado los dos últimos días. Nadie sabía si estaba enfermo. Así que me propuse ir a verle aquella tarde. Nues-

tro profesor me dio la dirección de su casa.

Harry vivía en una calle situada en el extremo opuesto de la ciudad. Durante la larga caminata iba pensando por qué Harry no había buscado otro colegio más cerca.

Por fin llegué a la calle que me había dicho el profesor. Era estrecha y oscura. A los dos lados se alzaban los bloques grandes y grises de las viviendas. Me produjo tanto agobio que de buena gana me hubiese dado media vuelta.

Harry vivía en el penúltimo edificio. Era una casa como las demás, con muchos desconchados en el revoque de la pared y en la pintura de los marcos de las ventanas. La puerta tenía el aspecto de ser muy vieja y estar ya podrida. La tablilla donde se alineaban los timbres estaba llena de agujeritos de carcoma. Intenté descifrar los nombres de aquellos letreros descoloridos.

No encontré *Ackermann*. Bueno, dos de los rótulos eran ilegibles. No me quedaba otro remedio que buscar piso por piso la vivienda de Harry. Abrí la puerta y entré en un pasillo largo y oscuro. Con la sombría luz que

penetraba por los cristales sucios de la puerta descubrí un bulto grande y negro. Pulsé el interruptor de la luz y vi con alivio que era una motocicleta. Alguien la había dejado junto a la puerta del sótano.

El corazón me palpitaba con fuerza, pero seguí adelante. No encontré el nombre de *Ackermann* en la planta baja. Tampoco en el primer piso. Por aquellos escalones viejos y desvencijados, que chirriaban y crujían a cada paso que daba, subí hasta el último piso. En la puerta izquierda ponía *Wieland* y en la derecha *F. Stein.*

Tras un pequeño titubeo apreté el timbre de *Stein.* Me abrió una mujer joven con un bebé en los brazos. Me miró de arriba abajo con recelo.

—Yo quería visitar a un compañero del colegio —dije con timidez.

—Sí... ¿y? —me cortó fríamente.

—Se llama Harry. Harry Ackermann.

—No le conozco.

—Pero, tiene que vivir en esta casa —me apresuré a decir.

Ella se encogió de hombros:

—Pregunta en los *Wieland,* que viven aquí desde hace treinta años. Nosotros nos mudamos a esta casa hace seis meses —y sin decir una palabra más cerró la puerta.

Llamé a la puerta de los *Wieland.*

Al rato, oí pasos. Alguien se acercaba arrastrando los pies.

—¿Quién está ahí? —preguntó una voz detrás de la puerta.

—Busco a un compañero de clase —contesté—, Harry Ackermann.

Entonces se abrió la puerta y apareció un hombre viejo. Un gato enorme, negro como el carbón, rondaba en torno a sus piernas.

—¡Ya no viven aquí! —explicó.

—Pero nuestro profesor me ha dado esta dirección —respondí.

—Harry Ackermann... —dijo, arrastrando la voz. Sonó como si tuviese mala opinión de Harry—. Su pobre madre. Su pobre hermana pequeña...

Se me puso la carne de gallina.

—¿Qué les ha pasado? —pregunté.

—Perdido —dijo sin entonación—, todo perdido.

—¿Qué quiere decir?

—Se pusieron enfermas..., clorosis.

—¿Clorosis? —repetí yo sin comprender.

—Primero la tuvo la madre. Cada

vez más débil, hasta que ya no hubo remedio. Luego le entró a la hija, y en menos de dos semanas estaba muerta.

—¿Muerta?

—Sí.

Por primera vez sentí lástima de Harry. No tenía ni idea de sus desgracias familiares.

—¿Cogió Harry también la enfermedad?

El viejo se rió con amargura.

—¡Él no, qué va! Al contrario, él cada día más fuerte. Se le veía florecer. Algunos de la casa llegaron a pensar... —se interrumpió y siguió luego en voz baja— que había tenido algo que ver con la enfermedad de su madre y de su hermana...

—¿Por qué?

—De cualquier modo, él desapareció el mismo día que murió su hermana.

—¿Desapareció? —pregunté sorprendido.

—Sí. Desde entonces no he vuelto a ver a Harry.

—¡Pero... él va a mi clase!

El viejo me observó fijamente y sonrió con ironía.

—¿Cuántos años tienes tú?

—Quince.

—Bueno, bueno. Harry debería tener cuarenta por lo menos. De aquello hace ya veinticinco.

—No puede ser —grité.

Enmudecí de golpe, pues igual que las piezas de un *puzzle* encajan para crear un todo, así se formó ante mí, de repente, una imagen absolutamente increíble: el vestir anticuado de Harry, su desagradable olor, mi antipatía hacia él, el sueño profundo en que siempre caía después de hacer juntos los deberes, mi cansancio permanente, las manchas de sangre en el cuaderno, el diagnóstico del médico...

—¿Qué es clorosis? —balbucí.

—Es lo mismo que anemia —contestó.

Vi al viejo como a través de la niebla. Me preguntó algo, pero no le entendí. Me zumbaban los oídos y tuve la sensación de que iba a caerme sin sentido. Me volví y bajé las escaleras con las piernas temblorosas.

Cuando llegué a casa, mi madre me metió en seguida en la cama y se reprochó a sí misma con severidad el haberme dejado salir a la calle.

No volví a ver nunca a Harry... y tampoco volví a tener anemia —concluyó el padre de Florián.»

—¿Te ha gustado la historia? —preguntó.

—Sí —dijo Florián—. Pero, ¿te ha pasado de verdad?

Su padre sonrió.

—Tú querías oír una historia de miedo y yo te la he contado.

Florián pensaba cómo podría sacarle la verdad.

—¿Es cierto que ibas a repetir curso? Mamá dice siempre que haces bien las cuentas.

—¡Claro! Harry me enseñó.

—Entonces, ¿existió Harry en realidad?

—Naturalmente.

—Y... ¿era un vampiro?

—Quizá... En todo caso, yo logré pasar de clase, que para mí era lo importante —contestó el padre, y se levantó.

—Cuéntame otra historia de miedo —pidió Florián—, sólo una.

—Imagínate una tú mismo.

—¡Jo!, como si eso fuera tan fácil...

El niño bajo el abrigo

 la mañana siguiente llegó la abuela de Florián.

—Y tú, ¿todavía no te puedes levantar? —preguntó.

—No —dijo Florián secamente.

—¿Aún te duele?

—Sí.

—Ya podrías ser un poco más expresivo.

—¡Ah!, abuela —murmuró Florián—. De verdad, no tengo ganas de hablar siempre de mi pierna.

—Entonces, ¿de qué te gustaría hablar? —preguntó la abuela molesta.

—De papá. ¿Se le daban bien de niño las matemáticas?

—No especialmente.

—¿Le dieron alguna vez clases particulares?

—No. No nos las podíamos permitir.

—Pero hay gente que no pide dinero por ellas.

—¿Sí? ¿Quién? —preguntó la abuela en tono de duda.

—Harry, por ejemplo —contestó Florián, y miró atentamente a su abuela para comprobar si se sobresaltaba al oír ese nombre.

Pues no, se quedó tan tranquila.

—¿Harry? —preguntó—. ¿Es un muchacho de tu colegio? ¿Quiere darte clases particulares?

—¿A mí? ¡Oh, no! —gritó Florián aterrado.

—Pero tú has faltado mucho a la escuela —comentó—. No te vendría nada mal que Harry te ayudase. Además, si es gratis...

—¡No quiero saber nada de Harry! —gritó Florián más fuerte de lo que hubiese querido.

—¿Por qué? ¿Qué pasa con él? —preguntó la abuela.

—¡Ag!, nada —masculló Florián—. Él es sólo... algo raro.

—¡Igual que tú! —dijo la abuela.

—Yo no soy nada raro —protestó Florián—. Yo sólo estoy enfermo y me aburro. Y por eso tú tienes que contarme ahora una historia de miedo.

—¿Una historia de miedo? —la abuela puso una cara muy divertida—. No sabía que esas cosas te interesasen. Las historias de miedo están pasadas de moda.

—Eso es lo bonito de ellas.

—Bueno, de acuerdo. Te contaré una historia de miedo.

«Fue un lunes. Poco antes de la hora de cerrar las tiendas me di cuenta de que necesitaba comprar pan y fiambres para la cena. Cogí una chaqueta y salí a toda prisa. En la calle hacía más frío y más viento de lo que me había figurado, pero ya no quise volver. Me subí el cuello de la chaqueta y aligeré el paso.

En la esquina casi me choco con un niño que andaba brincando en las baldosas de la acera. Me aparté y dije enfadada:

—¡Ten cuidado!

El niño me miró con una sonrisa extraña. Tenía la cara del color de la ceniza y dos sombras oscuras debajo de los ojos.

Había algo en ese niño que me

horrorizaba..., pero no sabía explicarme el qué. No podía verle más que la cara, porque llevaba puesto un abrigo amarillo, todo sucio, con una capucha demasiado grande que se había echado por la cabeza. Comenzó a saltar de nuevo y entonces advertí de repente que estaba descalzo. Descalzo en un día de octubre tan crudo.

—¿No tienes zapatos? —pregunté espantada.

El niño no contestó. Sólo se sonrió.

Pensé que quizá tenía los zapatos escondidos debajo del abrigo y quería tomarme el pelo.

—¿Tienes zapatos, sí o no? —voceé yo.

Él sacudió la cabeza.

—Pero, hace mucho frío para andar descalzo.

El niño volvió a sonreír.

—¿Oyes? —insistí yo—. Hace mucho frío. Vas a coger un catarro. Y te dará fiebre. Y te puedes morir.

—Entonces, ¿usted se preocupa por mí? —preguntó el niño, y me miró con mucha atención, como si mi respuesta fuese de vital importancia.

—Si vas por ahí descalzo, claro que es para que me preocupe —contesté.

—Usted se preocupa... ¡por mí! —dijo el niño con gozo, casi con devoción.

Me corrió un escalofrío por la espalda. Y dije precipitadamente:

—Ahora me tengo que marchar. Van a cerrar las tiendas.

—¿Se va usted? ¿Ahora? ¿Después de todo...? —exclamó el niño.

En la forma de decirlo había un tono de exigencia que me sorprendió.

—¿Qué quieres decir? —pregunté.

Contestó con toda tranquilidad:

—Usted ha dicho que se preocupaba por mí. Eso quiere decir que no me va a abandonar.

Procuré sonreír.

—Si no te conozco de nada, ¿cómo puedo abandonarte?

—Pero ahora ya nos conocemos, —contestó el niño—. Por eso tienes que llevarme contigo a tu casa.

Tal descaro me dejó un momento sin palabras. Luego exclamé:

—¿Llevarte a mi casa? ¡Vete a la tuya, con tus padres!

—No tengo padres —respondió.

Sus negros ojos me miraron suplicantes.

—Por favor, llévame contigo.

—Tú estás mal de la cabeza —dije enfadada, y me di media vuelta para marcharme.

Entonces el niño se agarró a mi brazo e imploraba:

—¡Déjame ir contigo!

—¡No! —repliqué con enojo, y lo rechacé. Y seguí mi camino a toda prisa, sin volver la cabeza.

Cuando llegué a la panadería, miré hacia atrás y vi al niño donde le había dejado, tumbado sobre la acera. Entonces sentí pena de haberle rechazado y con remordimiento corrí hacia él. Allí estaba caído, tapado completamente con su abrigo amarillo como una flor arrancada.

Preocupada le pregunté:

—¿Te has hecho daño?

No me contestó.

—Vamos, levántate —dije.

Y tampoco respondió.

—¿Quieres venir a casa a tomar un batido de chocolate? —le tenté.

Pero seguía callado.

—¿Tendré que llevarte en brazos? —le provoqué en tono de broma.

Como continuaba sin decir nada, agarré el abrigo y... me quedé helada: ¡estaba vacío!

Entonces salió una mujer de la tienda de enfrente.

—¿Es usted de la familia? —preguntó.

No entendí la pregunta.

—De la familia ¿de quién?

—Del niño que atropellaron aquí hace una hora. Ése es su abrigo. Usted quería llevárselo...

Me quedé tan perpleja que no pude constestar. Como atontada, plegué el abrigo, que se amoldaba a mi pecho como el cuerpo de un niño, y corrí a casa.»

—¿Tienes el abrigo todavía? —preguntó Florián.

—No. Lo lavé y lo mandé al ropero parroquial.

—¿Es verdad que atropellaron al niño?

—Yo no estaba allí.

—¡Pero yo quiero saberlo! —exclamó Florián.

—En las historias de miedo no tienes que preguntar el cómo y el porqué —respondió la abuela—. Si no, pierden su encanto.

Wolfgang

San José Unified School District
Instructional Materials Center
16/1 Park Avenue
San José, CA 95126

L volver la madre de Florián del trabajo ya no estaba la abuela.

—¿Lo habéis pasado bien? —preguntó.

—La abuela me ha contado una historia de miedo —respondió Florián.

—En ese caso, seguro que no te has aburrido.

—No. Pero ahora sí que me aburro.

—Si no te han cansado todavía las

historias de miedo, luego puedo contarte otra. Me he acordado de ella ahora, cuando venía a casa.

—De las historias de miedo no me canso nunca.

Ella rió.

—Bueno. Pero has de tener aún un poco de paciencia.

—... hasta que leas el periódico y hagas el café, ya lo sé —dijo Florián.

Cuando el café estuvo hecho, fue la madre con su taza al cuarto de Florián.

«Yo tenía entonces tu edad —comenzó su relato—. Mi madre se puso muy enferma y tuvo que pasar varias semanas en el hospital.

—¿Qué le ocurrió? —preguntó Florián—. ¿También una inflamación en la pierna?

—No. Tuvo que ser operada del

bajo vientre... Y fue justo al empezar las vacaciones de verano, que quería aprovechar para hacer un viaje conmigo. En lugar del viaje, me mandó con su hermana, tía Matilde, que llevaba unos meses trabajando de institutriz para una familia rica en el campo. Tuve que ir yo sola, y cuando llegué no estaba tía Matilde esperándome en la estación. Me entraron ganas de volver a casa en el próximo tren.

Me informé del camino hasta la dirección de mi tía y lo hice a pie. Por fin llegué a la casa grande y blanca que me había descrito el empleado del ferrocarril. Era una antigua casa señorial, con columnas a ambos lados de la entrada. La verja estaba abierta, así que entré y atravesé el jardín anterior hasta llegar a la puerta.

Titubeante, pulsé el timbre.

Nada. Ni el menor ruido.

¿Y si ahora no está la tía en casa? Pensé en la carta que me había escrito. La recordaba muy bien, porque era así de inquietante:

"Querida Sabine —escribía—, naturalmente que puedes venir conmigo en tus vacaciones.

No debes extrañarte de la gente que vive aquí. Son algo raros. Pero tú eres una chica valiente.

Me alegro de poder verte pronto.

Tu tía Matilde."

Llamé otra vez.

Entonces se abrió la puerta y apareció ante mí un hombre vestido como los criados de las películas antiguas. Llevaba un traje negro, pajarita negra y guantes blancos.

Me quedé sin habla.

—¿Usted desea? —preguntó.

—Yo... soy Sabine —tartamudeé. Él ni pestañeó.

—¿Y de qué se trata?

—Quería visitar a mi tía..., tía Matilde. Trabaja aquí.

Para mi alivio, el criado sonrió un poco.

—¡Ah, sí! —dijo—. Con la excitación se ha olvidado completamente de ti. Pasa. Tu tía está ocupada todavía, pero en seguida vendrá a saludarte.

Me llevó hasta un vestíbulo y me pidió que esperase allí. El vestíbulo era tan grande y tan alto que me dio la impresión de estar en una iglesia. Sólo que tenía gruesas alfombras en el suelo, y de las paredes, en lugar de cuadros de santos, colgaban pinturas de

caza. Era todo tan silencioso y tan solemne como en un templo... hasta que, de repente, retumbó un grito, seguido de un fuerte golpe.

Luego, otra vez, el silencio.

Entonces sentí miedo, a la vez, de la casa, de sus habitantes, y de aquel criado, al que oía toser discretamente en la habitación contigua.

En ese momento apareció mi tía bajando por la amplia escalera. Corrí hacia ella y la abracé.

—Pero si estás temblando —me dijo.

—He oído un grito —murmuré—. Sonó como si mataran a alguien.

Ella no pareció asustarse. Únicamente dijo:

—Vamos a mis habitaciones.

Yo, todavía turbada, la seguí.

Atravesamos varias dependencias hasta llegar a un pequeño apartamento. Tenía dos habitaciones, una cocina y un baño. Me alegró mucho reconocer el sofá rojo de tía Matilde, su librería, la lámpara de pie y la mesa redonda.

Nos sentamos en el sofá, y tía Matilde dijo:

—Te preguntarás, seguro, por qué no he ido a esperarte.

Yo afirmé con la cabeza.

—Hubiese ido con gusto a buscarte a la estación, naturalmente, pero Wolfgang, mi alumno, se escondió en el jardín y tuvimos que ir todos a buscarle.

Y ha sido muy difícil porque la parte de atrás del jardín es un laberinto. ¿Sabes lo que es un laberinto?

—No del todo.

—Pues un jardín con muchos pasillos falsos, en los que entras y es muy difícil dar con la salida.

—¿Y hay aquí una cosa de esas? —pregunté horrorizada.

—Este jardín laberinto tiene más de cien años —explicó tía Matilde. Lo dijo como si se sintiese orgullosa de ello—. Es muy grande. No debes meterte en él tú sola, ¿me lo prometes?

—Sí —respondí yo de buena gana.

—Si tu madre no hubiera tenido que ingresar en el hospital, no se me habría ocurrido nunca traerte aquí —continuó—. La gente de esta casa es rara. Sobre todo el muchacho, Wolfgang. Está enfermo.

—¿Tienen que operarle? —pregunté yo pensando en mi madre.

—No —contestó tía Matilde—. Tampoco es que esté lo que se dice enfermo..., cómo te lo explicaría yo... —titubeó. Luego añadió—: Ya le verás tú misma en la cena.

—¿No vamos a cenar aquí, en tu cocina? —dije, pues después de lo que tía Matilde me había contado de los habitantes de la casa prefería estar a solas con ella.

—No. Esta noche estamos invitadas a cenar. Tal vez quieren que te hagas amiga de Wolfgang.

"¡Yo no quiero hacerme su amiga!", pensé, pero no dije nada.

Volví a recordar el grito que había oído antes y pregunté:

—¿Fue Wolfgang el que gritó?

—Sí —confirmó mi tía.

—Y, ¿por qué?

—Su padre quería cortarle las uñas.

—¿Chillaba por eso?

Casi suelto una carcajada. Bien raro tendría que ser un chico que grita con toda el alma porque quieren cortarle las uñas.

Pero se me quitó el miedo por él y ya sólo esperaba intrigada que llegase la hora de la cena.

Cuando entramos en el comedor me quedé deslumbrada. Por todas partes había espejos en las paredes, y delante de cada uno brillaba una lámpara encendida. Del techo colgaba una enorme araña y la mesa, larga y puesta con toda solemnidad, despedía resplandores de oro y plata.

Erá como en una película.

Las tres personas que estaban sentadas a la mesa también podían haber salido de una película.

El hombre, gordo, en traje azul oscuro, con una pobre rosca de pelo en el cogote, duplicaba en edad a la mujer, que estaba sentada a su lado, delgada, rubia, con un vestido rojo muy escotado. Pero el más curioso era Wolfgang. Sus cejas pobladas se unían encima de la nariz. Había en él algo de salvaje, de indómito, que no pegaba nada con aquel ambiente aristocrático.

—Mi sobrina Sabine —tía Matilde me presentó—. Y éste es Wolfgang.

Wolfgang levantó la cabeza y me observó fijamente. Sus ojos eran de un amarillo brillante, un color que nunca

había visto antes en ninguna persona.

Nerviosa, tendí la mano a Wolfgang
y me estremecí del apretón que me

dio. Su mano era áspera y dura y clavó las uñas en el dorso de la mía hasta hacerme daño.

—En... cantada —balbucí, porque no se me ocurrió nada mejor.

Wolfgang masculló algo incomprensible, y en tono poco amistoso. En seguida comenzó la cena, que servía una mujer joven con delantal blanco y cofia blanca.

Primero hubo sopa. Como nadie hablaba, oía con claridad cómo Wolfgang sorbía el caldo de la cuchara. Su madre miró hacia él repetidas veces con ojos de reproche, pero al chico no parecía importarle.

A continuación se sirvieron patatas cocidas, zanahorias y filetes. Advertí cómo Wolfgang miraba a la carne con ojos de hambre canina. Tenía la boca medio abierta y pude ver una fila de dientes blancos y puntiagudos.

Mientras comíamos me di cuenta de que tenía dificultad para manejar el cuchillo y el tenedor. Pinchaba la carne con el tenedor y luego arrancaba bocados del filete con sus dientes cortantes.

—¡Come bien! ¡Mastica como es debido! —le advertía su madre.

Pero Wolfgang no hacía caso.

Cuando acabó su filete, se apresuró a coger otro de la bandeja, con la mano.

—Wolfgang, debes usar el cubierto —le reprendió la madre.

Y el padre agregó:

—¿Qué va a pensar Sabine de ti?

Wolfgang no contestó.

Devoró la carne y alargó la mano para coger otro filete.

—¡Ahora ya basta! —gritó la madre.

—Tengo hambre —replicó Wolfgang con una voz bronca y gutural.

—Pues come patatas y verdura.

—Pero yo quiero carne.

—No —dijo la madre retirando hacia sí la bandeja, donde quedaban aún dos filetes.

—Si me dejo cortar las uñas, ¿puedo coger más carne? —la voz de Wolfgang surgió ahora dulce e insinuante.

Sus padres cruzaron una mirada.

—Bien —dijo la madre—, un trozo más, si lo prometes en firme.

—¿Sólo uno? —Wolfgang se encolerizó—: ¡quiero los dos!

—Entonces te peinas también —replicó su padre.

—¡No!

Wolfgang dio un salto tan violento que volcó la silla. Luego echó a correr y salió del comedor dando un portazo.

—¿Vamos tras él? —preguntó mi tía.

El padre de Wolfgang sacudió la cabeza.

—Es mejor que entre en razón él solo.

El resto de la cena transcurrió en un silencio embarazoso. Yo acabé mi plato a la fuerza. Se me había quitado el

apetito y además no comprendía qué encontraba Wolfgang en aquellos filetes. Ni siquiera estaban bien asados y goteaba la sangre.

Después de cenar, tía Matilde y yo fuimos a su apartamento.

—¿Me enseñas ahora el laberinto? —pregunté impaciente.

—Mejor no —dijo ella.

—Pero si aún es muy de día —contesté.

—Todas las puertas están ya cerradas —replicó. Y agregó—: En esta casa hasta las ventanas tienen cerrojo.

—¿Tenéis tanto miedo a los ladrones?

—No. Es por Wolfgang. Es lunático.

—¿Lunático? —repetí yo extrañada.

—Sí. Siempre que hay luna llena, como hoy, se produce en él una transformación muy rara. No quiere lavarse, ni peinarse, ni comer ordenadamente... excepto carne. Sus padres creen que lo hace a propósito, para enfadarles. Por eso son especialmente severos con él.

—Wolfgang no se parece nada a sus padres —dije.

—Es hijo del primer matrimonio de su padre —me explicó tía Matilde—. La joven señora rubia es su madrastra. Hace dos años se casó con el padre de Wolfgang. Desde entonces ha debido volverse Wolfgang tan difícil. No le quieren admitir en ningún colegio normal. Yo soy la cuarta institutriz... y no sé cuánto tiempo más me quedaré.

—¿Por qué no le admiten en los colegios normales? —quise saber.

—No lo sé con detalle —respondió tía Matilde—. En la casa no se habla de ello. Sólo he oído decir a la cocinera que por lo visto atacaba a sus compañeros de clase y les hería.

—¿Les hería?

—Y además debía decir que él era

un hombre-lobo, o sea, una persona que se transforma en lobo cuando hay luna llena.

Me corrió un escalofrío por la espalda.

—¿Dónde está ahora? —pregunté.

—En su habitación, espero. —Y con repentina viveza añadió—: ¡No debería haber decidido que vinieras aquí!

Con eso, fue a la puerta y la cerró con llave.

Aquella noche apenas pude dormir, y no por culpa del sofá, donde tía Matilde había preparado mi cama. La culpa fue de un interminable ladrido que parecía venir de dentro de la casa.

—Tía Matilde, ¿hay aquí algún perro? —grité a mi tía, que dormía en la habitación de al lado.

—No —respondió ella.

—¿No oyes tú un ladrido?

—Viene de la calle.

—No. Ese perro tiene que estar dentro de la casa.

—No hay ningún perro —dijo—, es Wolfgang.

—¿Wolfgang? —repetí espantada—. ¿Por qué hace eso?

—Ya te he dicho que es lunático. Quiere salir afuera, al jardín.

—Si sigue ladrando tan fuerte, no podré dormir.

—Yo tampoco —dijo tía Matilde.

Durante un rato callamos.

—Tan mal como esta noche no había sido nunca —exclamó tía Matilde después de algún tiempo.

—¿No puedes decirle tú que se calle?

—No sé —contestó indecisa—. Puede que tengas razón. Tal vez se tranquilice si yo le convenzo por las buenas...

Se levantó.

—Pero tú te quedas aquí —me dijo.

—¿Sola?

—Sí —atajó con firmeza—. Y vuelve a cerrar con llave en seguida.

Salió. Yo corrí a la puerta, pero no cerré. Estaba demasiado intrigada por saber lo que iba a ocurrir.

Pocos minutos después cesó de pronto el ladrido. En aquel silencio, el sonido más fuerte era el latido de mi corazón.

Si no hubiera sido yo tan curiosa, en ese momento habría dado media vuelta a la llave y me habría metido bajo las mantas. Pero me quedé de pie, temblando de excitación, y aguardé.

Primero oí voces lejanas, que parecían discutir. Luego un grito: "¡No!" Y un ruido como de un cristal que se rompe. En medio del alboroto que se formó percibí un golpe sordo y gritos fuertes. Luego oí pasos que corrían escaleras abajo.

Cerré la puerta a toda prisa y salté a la cama. Los minutos siguientes se

me hicieron interminables. Sólo se oía el tic-tac del reloj y era tan horrendo que parecía estar contando los segundos de mi última hora.

En estas, alguien llamó a mi cuarto. Salté de la cama y lancé un grito. Pero en seguida reconocí la voz de mi tía y, tranquilizada, abrí la puerta.

Entró deprisa, fue a la mesa y encendió la lámpara de pie. Estaba muy nerviosa y se la veía pálida y descompuesta. Sin embargo, trataba de disimular su agitación y me dijo en tono de normalidad:

—Ahora puedes dormir.

—¿Dormir? —grité.

—Sí. Wolfgang ya no nos molestará esta noche. Yo me quedo despierta y cuido de ti.

—Pero no puedo dormir si no sé lo que ha pasado —respondí.

Tía Matilde fue a la ventana y corrió las cortinas.

—Si te lo cuento, entonces sí que no podrás dormir —dijo en voz baja, casi en un susurro.

—¡Cuéntamelo, por favor! —insistí.

De un tirón cerró las cortinas.

—Me voy de aquí —dijo.

—¿Por culpa de Wolfgang? —pregunté.

Permaneció de pie en la ventana y no me respondió.

—He oído que alguien gritaba —dije, para demostrar que sabía más de lo que ella pensaba—. Y luego un cristal roto...

Ella se volvió y me miró.

—Ha sido terrible —dijo con voz apagada—, sangre por todas partes.

—¿Sangre? —repetí espantada.

—Sí —dijo. Y a continuación me contó lo que había ocurrido.

Wolfgang se había encerrado en su cuarto. Tía Matilde llamó a su puerta y exclamó:

—¡Ábreme, soy yo!

Wolfgang, sorprendido, dejó de ladrar y preguntó:

—¿Qué quiere usted?

—Me gustaría hablar contigo —contestó mi tía.

—¿La envían mis padres?

—No.

Él se acercó a la puerta y abrió. Su cuarto estaba en un desorden atroz. Los libros y los cuadernos por el suelo, la ropa tirada fuera del armario. Y Wolfgang corriendo de un lado a otro como una fiera enjaulada.

—¿De qué quiere usted hablar? —voceó.

Sus pelos desgreñados le caían sobre la frente y le cubrían los ojos.

—No podemos dormir —dijo tía Matilde.

—Entonces, déjeme salir a la calle.

—Sabes que no puedo. Tu padre lo tiene prohibido.

En ese momento entró la madre de

Wolfgang en el cuarto. Llevaba una bata.

—¿Te has tranquilizado por fin? ¿Ya nos has torturado bastante con tus aullidos? —dijo con voz llena de odio—. Hasta has abierto la puerta..., la puerta de tu jaula de animal salvaje —añadió mirando en torno suyo con gesto de insoportable repugnancia—. Pero vas a ver. ¡Ahora te voy a arreglar yo! ¡Empecemos por las uñas!

Y traía, ciertamente, una pequeña tijera puntiaguda en la mano.

Wolfgang retrocedió gruñendo por lo bajo.

—Deje usted al muchacho —intentó mediar tía Matilde—: mañana temprano seguro que está dispuesto a dejarse cortar las uñas de buena gana. ¿No es verdad, Wolfgang?

Él no contestó. En cambio, gruñía más fuerte y amenazante. La madre lanzó un risa estridente.

—¡Vamos a ver quién de los dos tiene los nervios más fuertes! —voceó—. ¡Venga, dame tu mano derecha!

Ella estaba ya a sólo un paso de él. Wolfgang tenía la cara desencajada por la cólera y mantenía sus manos detrás de la espalda.

—¡Ah! No quieres —balbuceó la madre—. Sigues cabezota. Esa cabezonería te la voy a quitar yo.

Dijo estas últimas palabras con tanto odio que a tía Matilde le atravesaron el corazón.

—¡No! —gritó, pero ya era demasiado tarde.

Wolfgang se abalanzó contra su madre y la arañó en la cara y en el cuello. Después, se precipitó hacia la ventana, que estaba cerrada. Hizo pedazos el cristal y saltó al jardín, ¡desde el primer piso!

—¿Y luego? —exclamé yo.

—No lo sé —dijo tía Matilde lentamente—. Escapó corriendo. Había sangre por todas partes: en la repisa de la ventana, abajo en la terraza, en el camino del jardín... Le buscamos, pero ha sido inútil.

Tía Matilde respiró profundamente, luego añadió:

—Mañana temprano nos marchamos. Tú no puedes quedarte aquí ni un día más... Y yo tampoco.

Y ya no vería a Wolfgang nunca.

A la mañana siguiente, cuando tía Matilde y yo abandonamos la casa, aún no había regresado. Sólo el sirviente había encontrado sus vestidos y sus zapatos en el jardín-laberinto, bajo un seto, cubierto de mechones de pelo amarillo y gris..., pelo de lobo.

Por la tarde estaba yo de nuevo en casa acompañada de tía Matilde. Ella me atendió las semanas siguientes y juntas fuimos a visitar a mi madre al hospital.»

—¿Y Wolfgang? —preguntó Florián.

Su madre se encogió de hombros.

—No he vuelto por allí.

—¿Y los muebles de tía Matilde? ¿No tuvo que ir a recogerlos?

—Llegaron más tarde en un camión de mudanzas.

—¡Pobre Wolfgang! —exclamó Florián—. Nadie se ha preocupado de él.

—Sí, la vida es así de injusta. Pero tú no puedes quejarte.

—¿Tú crees?

—¿Acaso no nos preocupamos nosotros de ti?

—No, sí... desde que me contáis historias...

—Tú exageras otra vez.

—Sé una historia de miedo que va bien con esto —dijo Florián.

—¿Con qué?

—Con que la gente tiene que preocuparse de sus hijos.

—¿Me la cuentas?

—Más tarde..., cuando termine.

—¿Es que la has inventado tú mismo?

—Sí.

—¡Ah!, estoy intrigada —dijo ella, y sonrió.

Y cruzaron el monte...

URANTE todo el día siguiente Florián escribió su historia de miedo. Hasta después de la cena no acabó.

—¿Queréis oír? —gritó a sus padres, que estaban en el cuarto de estar.

—¡Naturalmente! ¡Con mucho gusto! —contestaron, y fueron a la habitación del niño con caras de curiosidad.

«Era un viernes del mes de julio —empezó a leer Florián—. Todo estaba preparado para la fiesta de fin de curso de la guardería, sobre la gran explanada de césped del parque municipal.

Ya desde las primeras horas de la tarde algunos padres habían estado montando mesas y sillas, pequeñas para los niños y grandes para los mayores. Habían adornado las mesas con manteles azules de papel, servilletas azules y pequeños barquitos que habían hecho los niños, y muchas banderitas. También había cadenas de banderines de todos los colores tendidas entre los árboles, como en un barco de recreo.

La fiesta debía comenzar a las seis, y poco antes de la hora habían llegado ya todos. Cada familia llevaba alguna cosa. Las mesas se curvaban por el peso de las botellas, las fuentes y los platos.

En la mesa de los niños, había pasteles, chicles, bizcochos, barquillos, bombones, chocolate, cacahuetes, rosquillas, barritas saladas. Mucho más de lo que los once niños podían consumir, a pesar de que todos se lanzaron a comer como salvajes y a beber vasos enteros de mosto y limonada. Al cabo de un rato, Jonás sintió arcadas. Ana y Michael le acompañaron hasta el seto y allí vomitó.

Los mayores no se enteraron de

nada. Estaban muy ocupados en descorchar botellas de vino y brindar unos por otros. Al fin y al cabo, era la última fiesta y querían celebrar el fantástico grupo de padres que habían formado. Depués de las vacaciones de verano, los niños irían a distintos colegios y Dios sabía cuándo se volverían a juntar.

Los niños, entretanto, hacían apuestas a ver quién comía más pasteles. Sara ganaba siempre, así que los demás se cansaron pronto del juego.

Moritz agarró un pastel y lo lanzó contra Nina. Nina, echando pestes, se quitó del pelo aquella masa pastosa. Jonás tuvo que vomitar otra vez y en esta ocasión fue Miriam con él hasta el seto.

El padre de Nina había ido al coche a por una caja de botellas de champán y ya se oían los primeros brindis.

Michael propuso hacer una apuesta de comer chocolate, pero los demás dijeron que era aburrido jugar siempre a lo mismo y se levantaron de las sillas.

Mientras, los mayores también se habían puesto de pie. Se juntaban en grupos pequeños y fumaban y bebían y charlaban entre ellos.

—Venid, vamos a hacer carreras de huevos —dijo Max.

Cogió unas cucharas y una fuente de huevos duros de la mesa de los mayores, pero ningún niño quería jugar a

eso. Luego empezó Max a tirar huevos a los banderines y entonces sí que se apuntaron todos.

Ulla, la señorita de la guardería, se acercó despacio y un poco tambaleante a donde estaban los niños.

—Jugad a otra cosa más razonable —dijo con voz arrastrada.

—Y ¿a qué? —preguntó Jacob.

—Vosotros tenéis buenas ideas —dijo Ulla.

—¿Por qué no juegan los mayores con nosotros? —preguntó Ana.

—¡Sí, perfecto! —apoyó Sara—. El año pasado jugaron con nosotros a romper pucheros y a las carreras de sacos.

—Nos parece mejor que vosotros solos ideéis algo.

—Sólo queréis quitarnos de encima —dijo Moritz.

Ulla sonrió desconcertada.

—No, naturalmente... Pero sabéis que ésta es la última vez que nos reu-

nimos y nos gustaría charlar un poco...

—¡Charlar un poco! —gruñó Miriam—. Estáis todo el tiempo hablando.

—Voy a preguntar si quieren jugar a romper pucheros —exclamó Sara, y corrió hacia el grupo donde estaba su madre.

Al poco rató volvió con ceño.

—No quieren. Dicen que hay aquí bastantes niños para jugar.

Los niños pusieron caras tristes, de mal humor y de no saber qué hacer.

Entonces se le ocurrió a Ulla:

—¿No queréis hacer el desfile de los faroles? —preguntó—. Ya está anocheciendo.

—¡Oh!, sí —gritaron los niños entusiasmados.

Ulla trajo los faroles y encendió las velas. Los niños se habían puesto en fila y hablaban todos a lá vez excitados.

Sara tenía el farol más bonito, un sol grande. Se colocó a la cabeza. Y Moritz, a la cola con el farol de la luna.

Los mayores miraban y sonreían complacientes.

—¿Queréis acompañarnos? —gritó Sara.

—¿Acompañaros? No sois ya unos bebés —contestó su madre.

—Pero se va a hacer de noche —dijo Moritz.

—Bueno, y ¿qué? —bromeó su padre.

Ana voceó:

—No queremos ir nosotros solos. Tenemos miedo en la oscuridad.

Los mayores rieron.

—¿Y vosotros queréis ir a la escuela? —se burló el padre de Nina.

Los niños cuchichearon entre ellos. Luego se callaron de repente e iniciaron la marcha con paso lento y solemne.

Los padres los miraban y hablaban

con pena de los buenos tiempos de la guardería que ahora terminaban.

—Formaban un grupo tan bueno... —exclamó la madre de Ana.

—Y estaban siempre tan unidos... —dijo el padre de Miriam.

—Y tenían siempre ideas tan estupendas... —dijo Ulla.

Los niños ascendían ahora la pequeña colina situada en medio del parque municipal. Los faroles eran ya sólo pequeños puntos de luz.

—¡Como fuegos fatuos! —dijo el padre de Ana.

En ese momento desapareció el primer farol detrás del monte, luego el segundo, así hasta el último.

—¿A dónde van? —preguntó la madre de Jonás.

—Será un juego nuevo del escondite —contestó el padre de Jacob—. Probablemente tendremos que ir nosotros a buscarles.

—Pues no tengo la menor gana —dijo la madre de Sara.

El padre de Miriam descorchó otra botella de champán.

—Ya volverán cuando se cansen del juego.

Pasada una media hora, los padres empezaron a ponerse nerviosos. A los tres cuarto de hora salieron en su busca.

Al pie del monte encontraron a Jonás. Había vomitado de nuevo y se sentía tan débil que no podía andar más. Hacía mucho tiempo que se había apagado su farol.

—¿Dónde están los demás? —gritó la madre de Ana.

—Encima del monte... —dijo.

Los padres rastrearon todo el parque municipal, rincón por rincón..., pero a los diez niños no volvieron a encontrarles nunca jamás.»

—Esta sí que es realmente una historia de miedo.

Florián sonrió halagado.

—¿Os ha gustado?

—Yo la encuentro un poco exagerada —dijo el padre.

—¿Por qué? —preguntó Florián molesto.

—¿Crees tú que hay padres que se preocupan tan poco de sus hijos y piensan sólo en pasárselo bien?... Por lo menos no era así en nuestro caso, cuando tú estabas en la guardería.

—Eso lo dices porque ya hace mucho tiempo de aquello —replicó Florián—. ¿Ya no te acuerdas de cuando hicimos una fiesta en el parque municipal y Lena se cayó en el lago y casi se ahoga si no es porque la sacamos los niños? Vosotros, los mayores, ni os habíais enterado.

—Sí, eso es verdad —admitió su padre.

—Y, además, en las historias de miedo no hay que preguntar el cómo y el porqué —añadió Florián—, si no, pierden todo su encanto.

Los padres se miraron y se echaron a reír.

—Hablas como un poeta —dijo la madre. Y, curiosa, preguntó—: ¿puedo ver el cuaderno?

Con el corazón acelerado, Florián extendió el cuaderno a su madre. Ella leyó: «HISTORIAS DE MIEDO COMPLETAS DE FLORIÁN».

—¿Esto significa que tienes la intención de escribir más historias?

Florián afirmó con la cabeza.

—Sí, quiero hacerlo. Escribir historias es un buen remedio contra el aburrimiento.

ÍNDICE

AUSTRAL JUVENIL

El libro de bolsillo para los lectores jóvenes.

TÍTULOS PUBLICADOS

Juan Ramón Jiménez
1 **Canta pájaro lejano**
(Antolojía poética juvenil)
Prólogo: Ana Pelegrín
Ilustraciones: Luis de Horna
(Premio «Interés Infantil 1981,
del Ministerio de Cultura)

Consuelo Armijo
2 **Los batautos hacen batautadas**
Ilustraciones: Alberto Urdiales

Juan Farias
3 **Algunos niños, tres perros y más cosas**
(Premio Nacional de Literatura Infantil, 1980)
Ilustraciones: Arcadio Lobato

Reiner Zimnik
4 **La grúa**
Traducción: Carmen Seco
Ilustraciones del autor

Mark Twain
5 **Tom Sawyer detective**
Traducción: María Alfaro
Ilustraciones: Juan Ramón Alonso

Úrsula Wölfel
6 **Treinta historias de tía Mila**
Traducción: Carmen Bravo-Villasante
Ilustraciones: Mabel Álvarez

Joan Manuel Gisbert
7 **El misterio de la isla de Tökland**
(Premio Lazarillo, 1980)
Ilustraciones: Antonio Lenguas

LAS AVENTURAS
DE LOS DETECTIVES DEL FARO
Klaus Bliesener

La familia Mel pasa sus vacaciones
en la isla de Norderoog.
Un hecho insólito despierta
la curiosidad de los tres hermanos,
Roberto, Canica y Cigarra,
que deciden hacer indagaciones.
Para ello cuentan con la ayuda del lector
que deberá *leer* las imágenes
y encontrar en ellas las pistas
que paso a paso les llevará a solucionar
el enigma y desenmascarar al culpable.
Un libro que divierte y apasiona
al tiempo que desarrolla la lógica deductiva
y estimula el sentido de la observación.

79 ilustraciones del autor.

MALOS TIEMPOS PARA FANTASMAS
W. J. W. Wippersberg

Max, el hijo de esta sorprendente familia
de fantasmas, describe las dificultades
con que tropiezan para subsistir en
la actualidad, las peleas con sus primos
los vampiros y, sobre todo, los sucesos que
le llevan a hacer un importante descubrimiento:
los humanos ya no se asustan de nada.
Este original libro propone además
una serie de actividades para fabricar un
equipo completo de fantasma o de vampiro.

42 ilustraciones de Käthi Bhend-Zaugg

San Jose Unified School District
Instructional Materials Center
1671 Park Avenue
San Jose, CA 95126